JUMP COMICS

ジョジョの奇妙《きみょう》な冒険《ぼうけん》

Part 6

ストーンオーシャン 12

(75)

脱獄《だつごく》へ…

荒木飛呂彦《あらき・ひろひこ》

ジョースター家《け》のルーツ

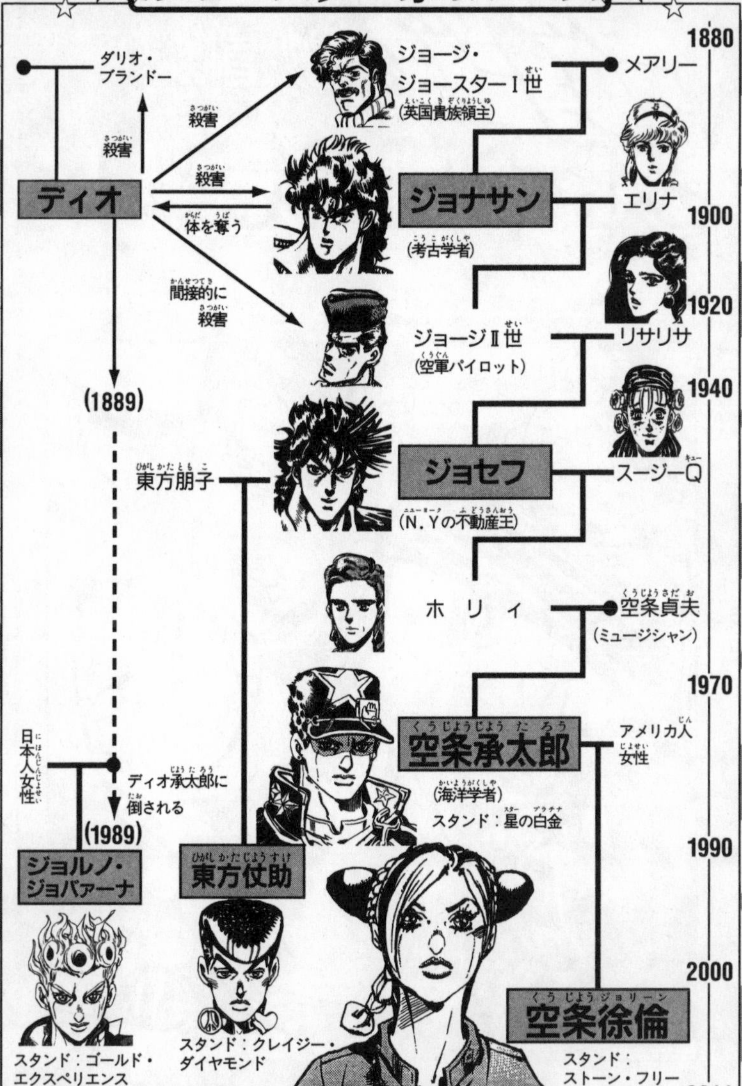

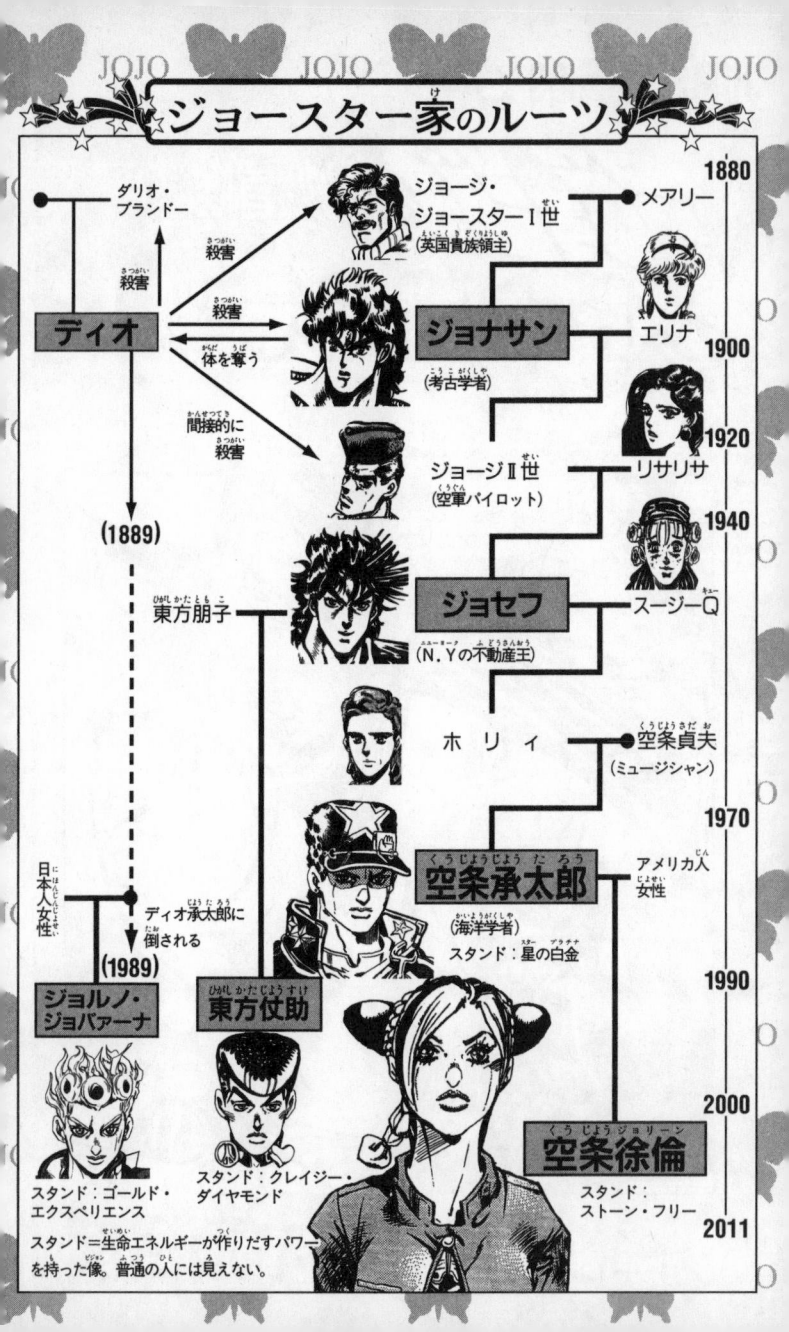

ウェザー・リポート
スタンド：
ウェザー・リポート

ナルシソ・アナスイ
スタンド：
ダイバー・ダウン

空条徐倫《くうじょうジョリーン》
スタンド：
ストーン・フリー

エンポリオ
スタンド：
バーニング・ダウン・ザ・ハウス

エンリコ・プッチ神父《しんぷ》
スタンド：
？

ミューミュー
スタンド：
JAIL HOUSE LOCK《ジェイル ハウス ロック》

前巻《ぜんかん》までのあらすじ

これは一世紀《せいき》以上《いじょう》にわたるディオとジョースター家《け》の因《いん》縁《ねん》の物語《ものがたり》である…。

二〇一一年《ねん》のアメリカ。空条徐倫《くうじょうジョリーン》は恋人《こいびと》とドライブ中《ちゅう》に人《ひと》を撥《は》ねてしまう。弁護士《べんごし》たちに陥《おとしい》れられ、徐倫《ジョリーン》に刑期《けいき》15年《ねん》の判決《はんけつ》が下《くだ》る。徐倫《ジョリーン》は州立《しゅうりつ》グリーン・ドルフィン・ストリート刑務所《けいむしょ》に収監《しゅうかん》された。徐倫《ジョリーン》を救出《きゅうしゅつ》するため面会《めんかい》に訪《おとず》れた承太郎《じょうたろう》は神父《しんぷ》のスタンド、ホワイトスネイクに記憶《きおく》とスタンドをDISC《ディスク》化《か》されて奪《うば》われてしまう！　だが徐倫《ジョリーン》たちはF《フー》・F《ファイターズ》から承太郎《じょうたろう》のスタンドDISC《ディスク》をゲットする。

神父《しんぷ》が持《も》っていたディオの骨《ほね》は囚人《しゅうじん》たちを植物化《しょくぶつか》。その中《なか》から緑色《みどりいろ》の赤《あか》ちゃんが生《う》まれた。そして脱獄《だつごく》を計《はか》る徐倫《ジョリーン》とアナスイに神父《しんぷ》が迫《せま》る！　徐倫《ジョリーン》は気迫《きはく》で神父《しんぷ》を圧倒《あっとう》するが神父《しんぷ》は赤《あか》ちゃんと合体《がったい》し、姿《すがた》を消《け》す。変身《へんしん》した神父《しんぷ》は刑務《けいむ》所《しょ》を出《で》て、ある場所《ばしょ》に向《む》かっていた。一方《いっぽう》、刑務所《けいむしょ》に戻《もど》った徐倫《ジョリーン》は女看守《おんなかんしゅ》、ミューミューのスタンド攻撃《こうげき》を受《う》けていた。

ジョジョの奇妙な冒険 Part6 ストーンオーシャン

12
(75)

脱獄《だつごく》へ…

CONTENTS

バチィ
★2
新しく
覚えられる
物事は
3つまでと思え
会え
JAIL《ジェイル》 HOUSE《ハウス》
LOCK《ロック》!
その⑤
うわッ!
うあああッ!!

ピサアア
JAIL《ジェイル》 HOUSE《ハウス》
LOCK《ロック》! その⑤

これはッ!?
エンポリオ
あんた
いったいッ!?
飲《の》み水《みず》を
………
…うう
………
こぼして
しまった
………

……
はッ！お…おねえちゃん!?
い…いつからここへ？
今《いま》来《き》たのよ
あ…あんたこそ！……
いったいこの手《て》!?
かわいそーに…どうしたのよ!?
もしかして…これ…
あたし・と・同《おな》じ!?
「独房《どくぼう》」にいた所《ところ》からその後《あと》ずっと…！
そうだ思《おも》い出《だ》した……
『3つ』しか覚《おぼ》えられないって……
この「文字《もじ》」は……
ぼくはおねえちゃんに会《あ》いに行《い》くんだった！
すぐに行《い》かなくちゃ！急《いそ》ぐんだ！
……

ぼくは徐倫《ジョリーン》おねえちゃんに伝《つた》えなくてはならないことがあるッ！
そう…………気《き》をつけてね エンポリオ
いいなあ～～……これ「ガトーショコラ」だぁ～～～
ケーキの本
あたし地球《ちきゅう》が滅亡《めつぼう》するとしたら最後《さいご》に食《た》べたいものは絶対《ぜったい》チョコレートケーキって決《き》めてんのよねー
もう どのくらい食《た》べてないのかな あたし
………
あっ！おねーちゃん！いつから ここにいるんだッ!!?
そうよ！あたし なんでここにいるの？なんで なんで なんで なんで なんで！
なんで！なんで！なんで！
そうだ！あたし あんたに会《あ》いに来《き》たのよ！
なぜかわからない……でも あんたに会《あ》わなきゃ絶対《ぜったい》にヤバイと思《おも》ったのよッ！
…………
『プリントアウト』だ

おねえちゃん『プリントアウト』しなきゃならないッ!
じゃないと永遠《えいえん》に忘《わす》れ去《さ》ってしまうんだッ!
プリントアウトすれば残《のこ》るッ!
何《なに》をよ! エンポリオ! 「プリントアウト」って何《なん》のこと?
なんだっけな
えと……
えと……
なるほど……
そいつが「あの時《とき》」……
いっしょにいたというわけか……

わたしの「顔《かお》」と「名前《なまえ》」を見聞《みき》きしていたのか……
今《いま》みたいに……
独房《どくぼう》のとこの『壁《かべ》の中《なか》』で……
そのエンポリオが……

普通《ふつう》なら放《ほう》っておく…
わたしの「ジェイル・ハウス・ロック」の仕事《しごと》は
「スタンド使《つか》い」を閉《と》じ込《こ》めておくことだからな…
だが『記録《きろく》される』のでは話《はなし》が別《べつ》だ！
きさまはッ！

脱獄囚《だつごくしゅう》とみなすッ！

ビシ
ギュン

ドォ
『ストーン・フリー』《スタンド》……
拳銃《けんじゅう》の弾丸《だんがん》なんてヘッチャラか…
だが覚《おぼ》えていないだろうな…もし わたしが今《いま》
同時《どうじ》に4発《はっ》の弾丸《だんがん》を発射《はっしゃ》していたと言《い》ったなら
おまえには残《のこ》りの一発《ぱつ》が『どこに飛《と》んだのか』……その硝煙《しょうえん》さえ見《み》ることのできないことをッ！

ボゴォ
クル
ドドド
ドド

ドドドド
こんなところに
なぜ
「部屋《へや》」があり
なぜ
そんな子供《こども》が
いるのかは
知《し》らないが…
ドド
「ホワイトスネイク」が
この刑務所《けいむしょ》は
無線機《むせんき》とかを持《も》ち
………
空条徐倫《くうじょうジョリーン》に
協力《きょうりょく》する
何者《なにもの》かがいる…
と話《はな》をしていた…
そいつのことだった
らしいな
ドド
おねえ
ちゃん
ぼく
刑務所《こころ》の
外《そと》に…
出《で》て
みたい…
ドドド
なにィイイイイイイイイイイ——

エ…
エンポリオ!!
そして
これで
そいつが
つかんだ
「記録《きろく》」は
消《き》え去《さ》った
!!
てめ――は
絶対《ぜったい》に
許《ゆる》さねえ――ッツ
熱《あつ》いねェェ
――……
ク…
だが　そんな熱《あつ》い
感情《かんじょう》さえ…次《つぎ》の「3つ」の
ことで　おまえは完全《かんぜん》に
忘《わす》れ去《さ》ってしまう
それが　わたしの
「ジェイル・ハウス・
ロック」

くらえ!!

ここまでだ!!
空条《くうじょう》徐倫《ジョリーン》！
おまえに認識《にんしき》できるのは3発《ぱつ》までだッ！
残《のこ》りの弾丸《だんがん》が体《からだ》にくい込《こ》むだろうッ！

オラァア！

ボンゴォ!!

映《うつ》り込《こ》んだ「像《ぞう》」なら……
たったひとつの『事実《じじつ》』!
同時《どうじ》に撃《う》ったというなら……それを見《み》れば何発《なんぱつ》だろう…とな
そして おまえの方《ほう》は 忘《わす》れちゃあ いないだろうな!?
ドォ

PRIVILEGE CARD

エンポリオ少年《しょうねん》の本名《ほんみょう》はエンポリオ・アルニーニョ。２月《がつ》17日《にち》生《う》まれの11歳《さい》と自分《じぶん》では言《い》っているが、彼《かれ》は自分《じぶん》の誕生日《たんじょうび》を正確《せいかく》には知《し》らない。何故《なぜ》なら、彼《かれ》の母親《ははおや》は囚人《しゅうじん》で、この刑務所《けいむしょ》でエンポリオを出産《しゅっさん》し、隠《かく》れて彼《かれ》を育《そだ》てたからだ。

彼《かれ》の母親《ははおや》もスタンド使《つか》いで能力《のうりょく》は定《さだ》かではないが多分《たぶん》、「幽霊《ゆうれい》の品物《しなもの》」を使《つか》える能力《のうりょく》であろう。「部屋《へや》の幽霊《ゆうれい》」内《ない》で彼《かれ》を育《そだ》てたのだ。そしてエンポリオの母親《ははおや》は「スタンド能力《のうりょく》」をＤＩＳＣ《ディスク》としてホワイトスネイクに奪《うば》われたため命《いのち》を失《うしな》ったと彼《かれ》は推測《すいそく》し、ホワイトスネイクが神父《しんぷ》とわかった今《いま》、エンポリオは神父《しんぷ》の目的《もくてき》と真実《しんじつ》が知《し》りたいと徐倫《ジョリーン》の行動《こうどう》を通《つう》じて思《おも》い始《はじ》めている。

スタンド名《めい》『バーニング・ダウン・ザ・ハウス』

はっ！
ドゲ！
JAIL《ジェイル》 HOUSE《ハウス》 LOCK《ロック》！
その⑥
ぐっ
くそっ！……だが…あの小僧《こぞう》のコンピュータは破壊《はかい》した!!このまま逃《に》げれば良《よ》いだけだ！
どうせ また徐倫《ジョリーン》はすぐわたしのことを忘《わす》れてしまう！
永久《えいきゅう》に忘《わす》れてしまうのだッ！

JAIL《ジェイル》
HOUSE《ハウス》
LOCK《ロック》!
その⑥

う……
うう……
……
ドドドド
け…ケガをしてる
……なんでぼくはケガをしてる…んだ？
わからないけど……『プリントアウト』だ！
おねえちゃんに伝《つた》えなくては……「プリントアウト」して……
……
でもなんだっけ？……「プリントアウト」って
何《なに》を？
ぼくの部屋《へや》には
「プリンター」もないのに……
？
プリント 腕!?

ここで・・・こいつを逃《に》がすわけにはいかないッ！
こ・・・こいつが『敵《てき》』だ!!
しかも・・・こいつに『エンポリオの部屋《へや》』が……
バレてしまったッ！
う…
うあっ
強《つよ》い!!
うあああ

わああああ
ああああ
うがっ
早《はや》く戻《もど》って
きてくれッ！
D《ディー》－10階段《かいだん》に
いる──ッ

おい見《み》ろッ！
あそこにいるぞ！
……
ミューミュー主任《しゅにん》が襲《おそ》われているぞッ！
ゲートだ
ゲートを開《あ》けろッ！

……
……
ここは!?
なんで あたしは ここにいるんだ?
追《お》われているのは あたしだ!?
?
よし 開《あ》いたぞ!
急《いそ》げ!

ピキッ
「3人《にん》の看守《かんしゅ》」を戻《もど》らせた
これで もう おまえが わたしを 思《おも》い出《だ》すことは
永久《えいきゅう》に・・ないィッ！

あの顔《かお》を見《み》ろ
あいつは懲罰房棟《ちょうばつぼうとう》で
唯一《ゆいいつ》生き残《のこ》った女《おんな》だッ！
は…
う
うっ
少《すこ》しだけ
逃《に》げろ
そうすれば
彼《かれ》らに射殺《しゃさつ》して
もらえる

おっと
その「両腕《りょううで》」……
弾丸《だんがん》を防御《ぼうぎょ》できるんだったな
うおあああ
あああッ！

ああ
うああああっ
わたしの仕事《しごと》はあくまでスタンド使《つか》いを閉《と》じ込《こ》めておくこと
だがとっても気分《きぶん》がいいぞ……
おまえが射殺《しゃさつ》されるのは気分《きぶん》がいい……
自業自得《じごうじとく》だからだ……おとなしくしていなかったおまえが招《まね》いた結果《けっか》がこうなったからだ
それと

階段《かいだん》だ!
逃《に》がすな!
おまえが3人《にん》の看守《かんしゅ》しか見《み》えてないのがとても気分《きぶん》がいいッ!
階段《かいだん》の下《した》へ行《い》ったぞ
我《わ》が「ジェイル・ハウス・ロック」から脱獄《だつごく》できる者《もの》はいないッ!

あ……
おねえ…ちゃん
いつから……ここに
いるの?
……
あんたはエンポリオ!?
伝《つた》えなくちゃ…ぼくはおねえちゃんに伝《つた》えなくちゃならない
「プリントアウト」するんだ…おねえちゃん…
じゃないとすぐ忘《わす》れてしまう
……
「2進法《しんほう》」だよ
1と0だけの2進法《しんほう》!
ぼくが計算《けいさん》したらしい!プリンターはおねえちゃんだ!
おねえちゃんなら正確《せいかく》にプリントアウトできる!
おねえちゃんが「記憶《きおく》するプリンター」なんだッ!

ドドドドドド
「ストーン・フリーッ」
ドパアアアッ

ドドドド
ドドドド
ドドド
ドドド
2進法《しんほう》なんだ！全《すべ》てのものは数字《すうじ》で表《あらわ》すことができる!!
おねえちゃんの「糸《いと》」で「1と0」の数《かず》を正確《せいかく》に計《はか》れば持《も》ち運《はこ》びができる
『ストーン・フリー』がデジタルで表《あらわ》す記憶《きおく》できるプリンターなんだ

ドドド
ドド・・ド・・ド・・

敵《てき》と考《かんが》えていいのか？
おまえは！……
ドドド
「敵《てき》」なのか？
……
プ！
なに言《い》ってんだ……？
クク
見《み》えてるわけがない
さ……撃《う》ち殺《ころ》されろ！
つまり「敵《てき》」でいいんだな
ありがとう
おまえは

うわああああああ

スタンド名《めい》—『バーニング・ダウン・ザ・ハウス』 本体《ほんたい》—エンポリオ少年《しょうねん》		
破壊力《はかいりょく》—なし	スピード—なし	射程距離《しゃていきょり》—なし
持続力《じぞくりょく》—なし	精密動作性《せいみつどうさせい》—なし	成長性《せいちょうせい》—なし
能力《のうりょく》—グリーン・ドルフィン・ストリート刑務所《けいむしょ》は1980年《ねん》代《だい》の後半《こうはん》に火災《かさい》に見舞《みま》われ、90年代《ねんだい》に改築《かいちく》と増築《ぞうちく》をしたのだが、エンポリオ少年《しょうねん》は火災前《かさいまえ》の「建物《たてもの》」が幽霊《ゆうれい》になって残《のこ》っている場所《ばしょ》を見《み》ることができるという。そしてエンポリオ少年《しょうねん》は、その場所《ばしょ》を見《み》ることだけでなく「使《つか》う」こともできる能力《のうりょく》を持《も》っている。例《たと》えば、火災前《かさいまえ》にあったピアノや書物《しょもつ》を演奏《えんそう》したり、読《よ》むことができるし、その部屋《へや》に隠《かく》れて住《す》むことができる。ライターや電気《でんき》スタンド、筆記用具《ひっきようぐ》などもエンポリオ少年《しょうねん》のものだ。		

A《エー》—超《ちょう》スゴイ　B《ビー》—スゴイ　C《シー》—人間並《にんげんなみ》　D《ディー》—ニガテ　E《イー》—超《ちょう》ニガテ

脱獄《だつごく》へ…

バッ
ガーーッ
ありがとうございます
赤《あか》ちゃん大変《たいへん》ですね
お荷物《にもつ》…
わたしどもで
お車《くるま》まで お運《はこ》び
いたしましょう…
ペコ
いえ〜〜
必要《ひつよう》ありません
ありがとう

……
ガップ
あっ！

ボドル
グイ
ガシィ
ゴゴ
……
ゴゴ
ゴゴ

ゴゴゴゴ
……
グイ
ハァ
ハァー
ハァ
ゴゴゴ
ゴゴ
ありがとうございます神父様《しんぷさま》……
……
でも失礼《しつれい》ですが……ご気分《きぶん》でも？
ハァ
ハァ
ひどい お汗《あせ》のようで…

いや……
少《すこ》し疲《つか》れたようなので
休《やす》んでいただけなのです
お子《こ》さんこそ大丈夫《だいじょうぶ》でしたか？
AUTOMATIC
25 BAR

……
……
大丈夫《だいじょうぶ》ですか？
神父様《しんぷさま》
………
………
ギリ
ギリギリ
ググ
ググ
ググ

し…失礼《しつれい》する
……
ドドド
なにかが暴走《ぼうそう》している……
わたしの体《からだ》の中《なか》で……
自分《じぶん》でも良《よ》くわからない……
なんなのだ？このひどい体調《たいちょう》は……？
スタンド……
もう「ホワイトスネイク」がわたしのスタンド能力《のうりょく》ではなくなっている……
なにか…いったい何《なん》なのだ？
ハァ ハァ
コントロールできない……わたしの意志《いし》を無視《むし》している……何《なに》かの「力《パワー》」
だが希望《きぼう》のある「力《パワー》」だ……この「力《パワー》」の中《なか》に希望《きぼう》だけは感《かん》じる……
承太郎《じょうたろう》の記憶《きおく》していた『DIO《ディオ》のメモ』
この「力《パワー》」に必要《ひつよう》なのはやはりそれか？「時《とき》」と「場所《ばしょ》」！
北緯《ほくい》28度《ど》24分《ぷん》西経《せいけい》80度《ど》36分《ぷん》
ドドド

天国《てんごく》はやはり
その場所《ばしょ》にあるようだ
……!!?
その場所《ばしょ》は
『ケープカナベラル・ケネディ・宇宙《うちゅう》センター』
時《とき》は「新月《しんげつ》」!
あと『6日《か》』後《ご》ッ!
80°
81°
82°
29°
28°
27°
26°
25°
ケープカナベラル
フロリダ
グリーン・ドルフィンストリート刑務所《けいむしょ》
マイアミ
ひっ…
な…
なによこれ!?
なによ
この「卵《たまご》」ッ!!
アアーー!
ピ
ドドドド
ピョ

ひっ!!
うげっ バブゥ ー
きゃあああ
ああああああ

ああ
ドドドド
み…見《み》ろッ！
子供《こども》だ！

ケガをしてる「子供《こども》」がいるぞッ！
一体《いったい》どういうことだ!?
なんで刑務所《けいむしょ》に「子供《こども》」がいるんだ!?
しかもあの女《おんな》は!!
懲罰房棟《ちょうばつぼうとう》で唯一《ゆいいつ》生き残《のこ》った女《おんな》だッ!!
『ミューミュー主任《しゅにん》』が暴行《ぼうこう》を受《う》け捕《つか》まっているぞッ!!
ドドドドドド

ドドドド

離《はな》れたぞッ！
射殺《しゃさつ》しろォオオオ――ッ!!
ちょっとごめんなさい
GUARD
ズイ
GUARD
すみません通《とお》させて……
おいでエンポリオ
行《い》くよ

ちょっとごめんなさいね――
すいません はい通《とお》して
……って…
『誰《だれ》を』だっけ……？
誰《だれ》を射殺《しゃさつ》するんだ？
オレたち？
よくやったぞミューミュー
これでいいんだ…物《もの》わかりがいいじゃないか…
この先《さき》も頼《たの》むぞ！「ジェイル・ハウス・ロック」！
「3つ」しか覚《おぼ》えられない無敵《むてき》の能力《のうりょく》で！

あっ！あそこを見《み》ろッ！
ドヤ
「子供《こども》」だッ！
ドヤ ドヤ ドヤ
「子供《こども》」がいるぞッ！
……
いったいどういうことだ？
記憶《きおく》①
しかも一緒《いっしょ》にいるあの女《おんな》は懲罰房《ちょうばつぼう》で生《い》き残《のこ》った女《おんな》だ！
記憶《きおく》②
ミューミュー主任《しゅにん》が暴行《ぼうこう》を受《う》けて捕《つか》まっているぞッ！
記憶《きおく》③
離《はな》れた！
記憶《きおく》④
撃《う》てェエエエエ――ッ!!
記憶《きおく》⑤
オレたち…ここはどこだ!?
えと……
……って…誰《だれ》を撃《う》つんだ？

あっ！見《み》ろッ！
ゲートを開《あ》けて子供《こども》が出《で》ていくぞッ！
ギシャン
連絡《れんらく》しろッ！本部《ほんぶ》へ連絡《れんらく》だ！
ミューミュー主任《しゅにん》が！
子供《こども》だ！
一緒《いっしょ》にいるあの女《おんな》はたしか
えと
ここはどこだ？オレたち
よし…医療房棟《いりょうぼうとう》を通《とお》っていこう
まず おまえが負《お》わせたエンポリオのケガを手当《てあ》てする
いいな
ドドド
あ
徐倫《ジョリーン》じゃあないか！
ヘイッ徐倫《ジョリーン》！
エンポリオも何《なに》やってんの？おまえらか？この騒《さわ》ぎは？
エルメェス！

おい
待《ま》てよ！
何《なん》なんだ？
どこへ行《い》く気《き》だ？
脱獄《だつごく》です
これから
ここを
出《で》るんです
どこだって？
ズン

覚悟《かくご》はできている……
『刑務所《ここ》』の中《なか》以上《いじょう》の……
ゴオオオオオオ
スタンド名《めい》「ジェイル・ハウス・ロック」
本名《ほんみょう》ミューミュー
本体《ほんたい》の情報《じょうほう》をストーン・フリーに
記録《きろく》され 反撃不可能《はんげきふかのう》
目的地《もくてきち》ー
ケープカナベラル
ケネディ宇宙基地《うちゅうセンター》
時間《じかん》ー新月《しんげつ》まで
あと6日《か》。
『空条承太郎《くうじょうじょうたろう》のDISC《ディスク》』
エンポリオ少年《しょうねん》の
ポケット内《ない》に所持《しょじ》。
TO BE CONTINUED

あれええっ!!?
止《と》まっちまったああぁっ!!
どうなっちまったってんだ?
ガソリンはまだあるしよ……
おっかしいなぁ~~~~
病院《びょういん》に運《はこ》ばれた
3人《にん》の男《おとこ》

グスン
グスン
バスン
Orlando
3mile
DOLLARS CENTS
33.33
TAXI
NO.12
『三銃士』
『三銃士』
『三銃士』
ダルタニャンと
3人の剣士
こんなことは初《はじ》めてだ
いつもちゃんと整備《せいび》しているのに……
いや別《べつ》にいいんだ…
急《いそ》いでるわけではない…時間《じかん》はあるんだ
こんな場所《ばしょ》でナンすけど神父様《しんぷさま》ここまでっス
別《べつ》のタクシーを無線《むせん》で呼《よ》びましょう
33ドル33セントかな……

時間《じかん》は
まだ
一週間《しゅうかん》ある
フォン
ヒュン
ヒュン
「新《あたら》しいわたし」…
相変《あいか》わらずの
最悪《さいあく》の体調《たいちょう》だが
次《つぎ》の「新月《しんげつ》」まで
この街《まち》で待とう
バターン
ドャ
ドャ
急《いそ》いでッ！
心拍《しんぱく》が停止《ていし》
しているッ！
ドャ
州立
病院
こいつは強盗《ごうとう》で
警官《けいかん》に脚《あし》を
狙撃《そげき》され
ビルの6階《かい》から
飛《と》びおりた

州立
……
州病
!
!
バタン
ドヤ
ドヤドヤ
こいつは暴走族《ぼうそうぞく》だ
何《なに》を思《おも》ったのか高速道路《こうそくどうろ》を逆走《ぎゃくそう》して分離帯《ぶんりたい》につっこんだ! 全身《ぜんしん》を打《う》ってる!
緊急《きんきゅう》が同時《どうじ》に3人《にん》かッ!
おい! 何《なん》なんだよッ!
こっちは麻薬中毒《まやくちゅうどく》だ
なにを注入《ちゅうにゅう》したのか知《し》らんがショック状態《じょうたい》だ 呼吸《こきゅう》をしていない 血圧《けつあつ》は45を下回《したまわ》った
少《すく》なくともドクターが3人以上《にんいじょう》は必要《ひつよう》だ!!

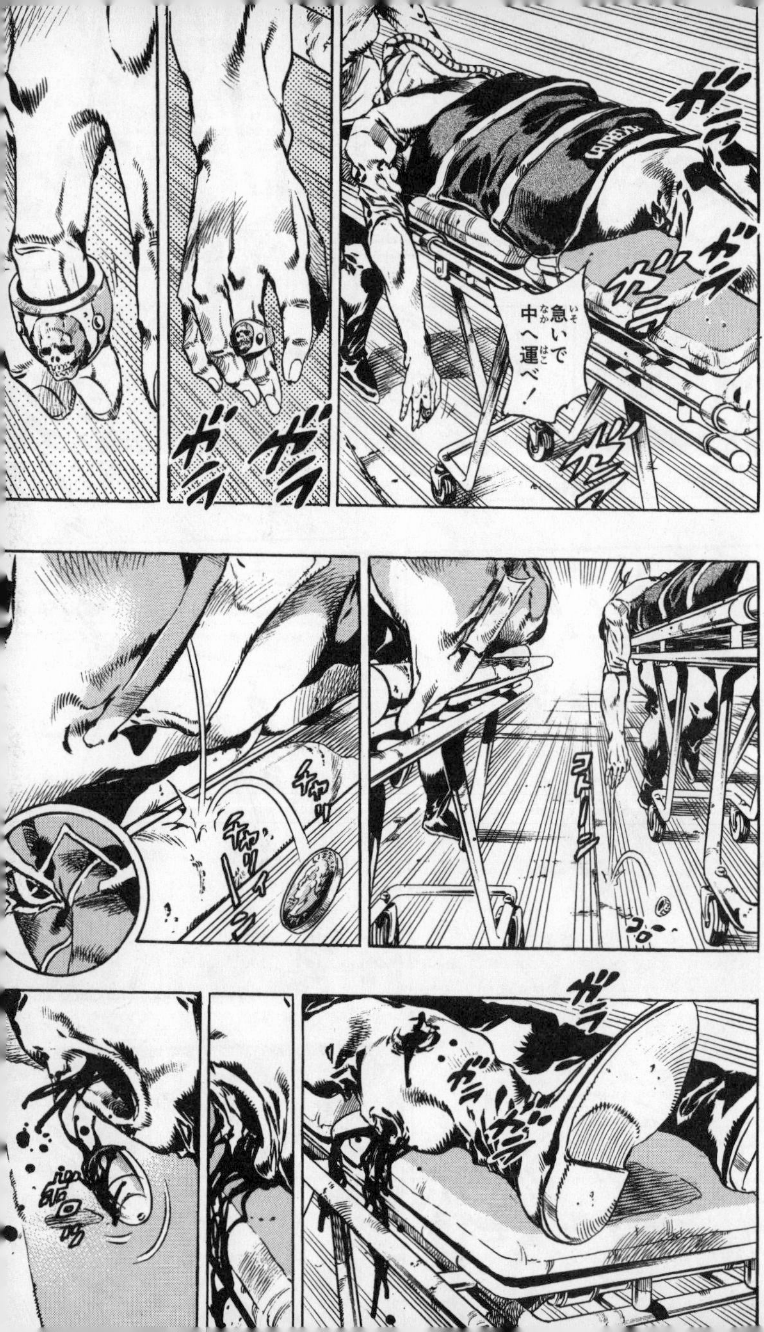
ガラ
ガラ
ガラ
急《いそ》いで中《なか》へ運《はこ》べ！
ガラ
ガラ
ガラ
コトーン
コロ
チャリーン
チャリ
ガラ
ガラ
ガラ

コロコローン
コロ
コロ
コロ
コロコロ
コロコロ
コロ
コロ
コロコロ
コロコロ
コロコロコロ
コロ
コロ
コロ
コロ
コロコロ

……
ザワ
ザワ
ガヤ
ガヤ

てめーら
ーーッ
うしろに
さがってろ
ォォォォォォーーッ
ドオ
麻薬中毒《まやくちゅうどく》が
目《め》を覚《さ》まし
てるぞォ
ーーッ
意識《いしき》が
あるッ!
くそッ!
切《き》りつけ
やがったッ!
ハサミを
手《て》に入《い》れてる
ぞーーーッ
銃《じゅう》も抜《ぬ》いてんじゃあ
ねエエエーーッ
関係《かんけい》ねえだろーーッ
オレは
どこへも閉《と》じ込《こ》め
られたりしねー
からなッ!

ゴゴゴゴ
２５８（人質事件《ひとじちじけん》）発生《はっせい》……州立病院《しゅうりつびょういん》で２５８発生《はっせい》
神父《しんぷ》らしき人物《じんぶつ》のノドに刃物《はもの》をつき付《つ》けている応援《おうえん》たのむ
おいてめー その陰《かげ》で何《なに》話《はな》してんだ!?
連絡《れんらく》しやがったな!!
オレの話《はなし》は何《なに》ひとつ聞《き》けねーかッ！
…銃《じゅう》も抜《ぬ》くなって言《い》ったのに抜《ぬ》きやがって！ちくしょう
ムカつくぜーーッ
こいつの首《くび》に突《つ》き刺《さ》すことに決《き》めたアアアアア――!!

この夜空《よぞら》にさっき流《なが》れ星《ぼし》を見《み》た……
「3つ」だった
3つ
確《たし》かに3つ流《なが》れたんだ
君《きみ》はどこから来《き》た？
自分《じぶん》たちが「何者《なにもの》」なのか知《し》っているのか？

うおおお
おお
おおおお
あ…
あいつ
さ…
刺《さ》しやがった
ぞ――ッ
ち…
……

違《ちが》う……
そう…… 違《ちが》う
だが…… このハサミは あと ほんの1ミリで わたしの神経《しんけい》を一本《ぽん》 切断《せつだん》できる位置《いち》を 貫通《かんつう》している
これは 偶然《ぐうぜん》だ
偶然《ぐうぜん》 致命点《ちめいてん》を さけて つき刺《さ》さったんだ
どうする? 君《きみ》の意志《いし》だが ちょこっとハサミを 動《うご》かしてみるか?
だが その前《まえ》に 君《きみ》は「引力《いんりょく》」を信《しん》じるか? 人《ひと》と人《ひと》の間《あいだ》には 「引力《いんりょく》」があるということを ……………
わたしは 今《いま》 それを 信《しん》じた
君《きみ》には わたしは 殺《ころ》せないんだ
君《きみ》は わたしの引力《いんりょく》に ひっぱられて ここに来《き》たのだ
クスリなんかで エネルギーを 消耗《しょうもう》しているんじゃあない
気《き》がついて ないのか? 君《きみ》のエネルギーは 正《ただ》しい方向《ほうこう》へ 使《つか》うのだ

ゴゴゴ

ドド
ドド
ドド
そしておまえたちは……
自分《じぶん》の父親《ちちおや》が誰《だれ》なのか……？
たぶん知《し》らなかったようだが……
これから知《し》ることになる
ドドド
ドドドド
ドドド
ドドド

ドドド
人《ひと》と人《ひと》の間《あいだ》には
「引力《いんりょく》」がある

今《いま》なんて言《い》った？
ウェザー・リポート
徐倫《ジョリーン》は…もう この刑務所《けいむしょ》の 女子監《じょしかん》にも 独房《どくぼう》にも
いない
なんとなく わかるんだ… 空気《くうき》の感《かん》じで
ここを「脱獄《だつごく》」したと いうことらしい
今《いま》の 話《はなし》だ…
…… ……
おい待《ま》て……!! 何《なん》で おまえに そんなことがわかる？
彼女《かのじょ》が いないだと？
誰《だれ》の情報《じょうほう》だ？ そんな騒《さわ》ぎは どこにも起《お》こってねーぞ

!!
ゴゴゴ
ヒュゥ
おまえはどうする?
ここを脱獄《だつごく》するが
オレもあの神父《しんぷ》を追《お》って…
…………
何者《なにもの》だウェザー・リポート
おまえは?

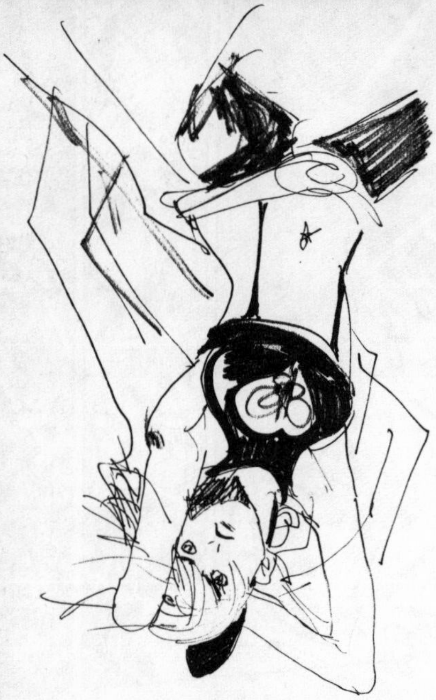

自由人の狂想曲《ボヘミアン・ラプソディー》 その①

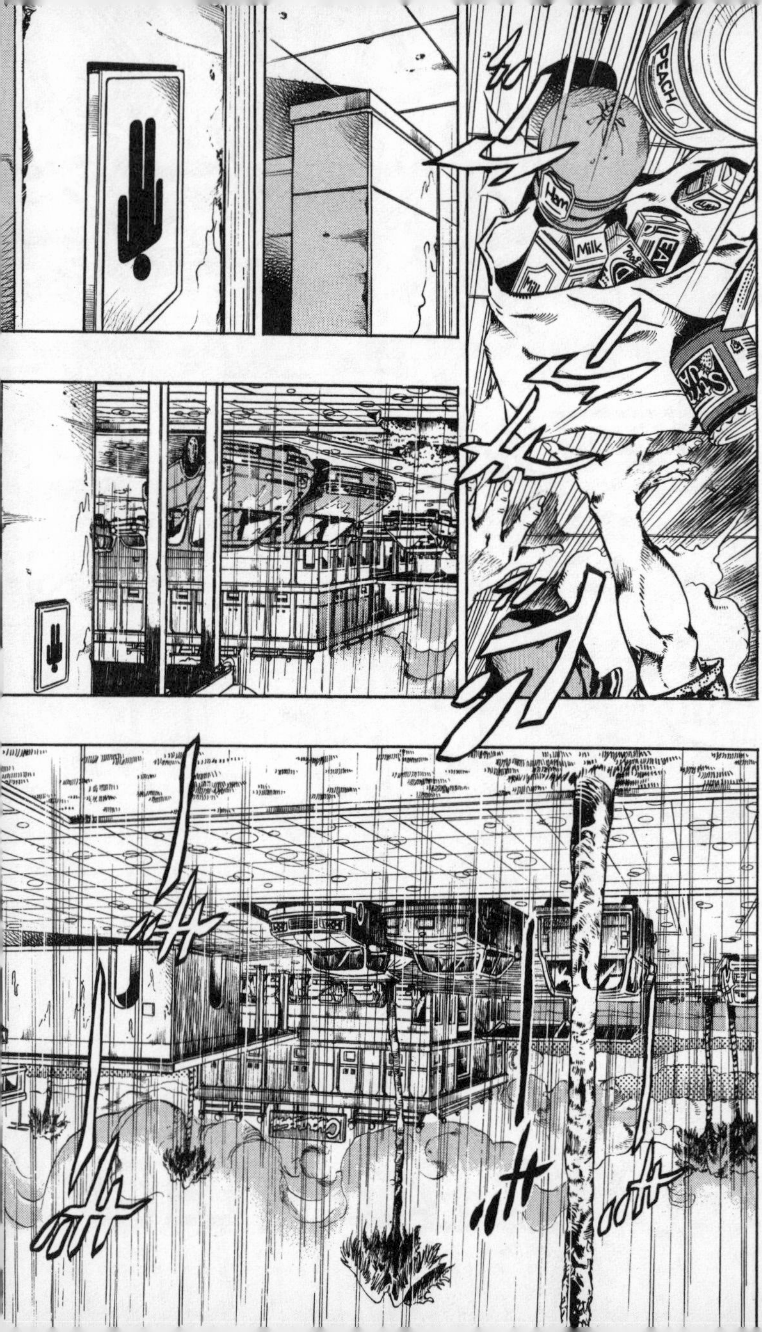
PEACH
Ham
Milk

ゴン
ガラ
大丈夫《だいじょうぶ》
驚《おどろ》かして
スマン
いや…
ありがとう
ちょっと足《あし》を
すべらした
だけでな
恥《は》ずかしいのォ…
いや
大《たい》したことは
ないんじゃ
この雨《あめ》の
せいでな…
雨《あめ》が降《ふ》ると
昔大工《むかしだいく》の仕事《しごと》で
痛《いた》めたヒザの古《ふる》キズが
痛《いた》むんでのう…
いや
大丈夫《だいじょうぶ》
う…
く
雨《あめ》が降《ふ》ると
キズが痛《いた》む
……
ザァーー
ん
まぁな
……
どっこいしょ…
毎度《まいど》のことだ…
ご親切《しんせつ》に
ありがとう

ザッ
よけいなおせっかいしてんじゃねーぜウェザー！…
オレたちは脱獄囚《だつごくしゅう》なんだからな
ガタン
顔《かお》を覚《おぼ》えられて通報《つうほう》されるぜ
パトカーが走《はし》り回《まわ》ってる…すぐにでも車《くるま》を手《て》に入《い》れここを立《た》ち去《さ》らなくてはならないって時《とき》によ

なにやってんだ？
背中《せなか》の囚人《しゅうじん》マークはぬりつぶした？
手《て》を洗《あら》いたいんだが ここの水道《すいどう》…蛇口《じゃぐち》にバーさえついていない
探《さが》しているんだ
それはセンサーで水《みず》が出《で》る蛇口《じゃぐち》だウェザー
刑務所《ムショ》にはなかった水道《すいどう》だがな
……
だがシャバのトイレには20～30年前《ねんまえ》からあるんだ……
……

覚《おぼ》えてないのか？おまえ何者《なにもの》だ？
緑色《みどりいろ》の赤《あか》んぼうの首《くび》の後《うし》ろにもそれと同《おな》じ星形《ほしがた》のアザがあったのをオレは見《み》た
徐倫《ジョリーン》の父親《ちちおや》にも同《おな》じ形《かたち》のアザがあるらしい
覚《おぼ》えてないなら推測《すいそく》するんだな……
なぜおまえは「グリーン・ドルフィン」にいた？
「ホワイトスネイク」…いや「神父《しんぷ》」は
なぜ おまえから「記憶《きおく》」だけ奪《うば》っておまえを閉《と》じ込《こ》めて生《い》かしていたのだ？
……

言《い》えることは ヤツは敵《てき》だってことだ
理由《りゆう》を知《し》るために オレは神父《しんぷ》を追跡《ついせき》し倒《たお》す
それより おまえの言《い》うとおり ここを出《で》なくては
外《そと》は パトカーだらけだ
POLICE
ヘリコプターもいる あれはFBI《エフビーアイ》だ

絶対《ぜったい》マシンガン積《つ》んでるよな……くそっ積《つ》んでるに決《き》まってる！
バ
バ
……だからさっさと車《くるま》をガメるって言《い》ってたんだぜ……
行《い》くぜッ！
盗難車《とうなんしゃ》はだめだ……
どこまでも足《あし》がついてキリがなく追《お》われる……
バ
バ
神父《しんぷ》追跡《ついせき》の妨害《ぼうがい》になる
オレは この今《いま》の状況《じょうきょう》のことを言《い》ってるんだぜ……
じゃあバスで行《い》くとでもいうのか？
次《つぎ》は何時《なんじ》だ？バス停《てい》でバスが来《く》るのを待《ま》つのか？
ドドドドドド
なぁ…あんたら…ここでバスを待《ま》ってるのかね？

?
……
ザッ
ザッ
気分《きぶん》がとてもいいんじゃ…
なんか……
さっきまで痛《いた》かった足《あし》の痛《いた》みが引《ひ》いてのう……
いや気分《きぶん》がいい
空《そら》も「晴《は》れ間《ま》」が出《で》てるし
……
ゴロ
ゴロ
はッ!

ザ ザ
……
MILK
MILK
MILK
クルッ

全然《ぜんぜん》痛《いた》くない……
すごくスガスガしい気分《きぶん》でのう
あんたに親切《しんせつ》にしてもらったからかのう……
あんたらどこまで行《い》くんだね バスを待《ま》ってるんなら あと一時間《じかん》は来《こ》ないぞ なんなら わしのトラックに乗《の》っていかんかね？
途中《とちゅう》まで送《おく》ってってやるよ…
荷台《にだい》で良《よ》ければだが……
いや気分《きぶん》がいい
トコ
トコ
ついてるな
お言葉《ことば》に甘《あま》えるか… アナスイ
『ウェザー・リポート』…
ゴゴゴ
ゴゴゴ

POLICE
徐倫《ジョリーン》は今《いま》……
彼女《かのじょ》はどうやって移動《いどう》してんだ？
無事《ぶじ》なんだろうな？
「徐倫《ジョリーン》」は「北《きた》」へ向《む》かっている……それだけは感《かん》じる……
「北《きた》」だ……とにかく「北《きた》」へ向《む》かうのだ

北《きた》はディズニーの街《まち》か
バァァァァァ
行《い》ったことあるか？(覚《おぼ》えてない？)
「ディズニー・ワールドリゾート」だ
湿地帯《しっちたい》に何十万本《なんじゅうまんぼん》もの植林《しょくりん》をし湖《みずうみ》を作《つく》り従業員《じゅうぎょういん》の数《かず》5万人《まんにん》のテーマ・パーク
その広大《こうだい》な敷地《しきち》はマンハッタンの2倍以上《ばいいじょう》ローマと同《おな》じくらいの面積《めんせき》らしいぜ…オレはNY《ニューヨーク》もローマも行《い》ったことねーがな……
MAGIC KINGDOM PARK
バサッ
バサッ
ピノキオ
オーランド テーマ・パークガイド
バサッ
バサッ
オーランド テーマ・パークガイド Vol.6
オーランド テーマ・パークガ

オーランド テーマ・パークガイド
Vol.6
UNIVERSAL
白雪
BIRTH DAY
90TH YEAR
……
おい ウェザー このテーマ・パーク紹介雑誌《しょうかいざっし》なめてるぜ
キャラクターがどこにも全然《ぜんぜん》載《の》っていねえッ! オレはディズニー・キャラが見《み》てえのによォ〜〜
ミッキーはどこだ?

ミッキーを載《の》っけねえでテーマ・パークガイドかあ？
それともマヌケがキャラ掲載《けいさい》の許可《きょか》がとれねーで雑誌《ざっし》作《つく》ったのか？
オーランド
テーマパークガイド
STUDIOS
MGM
おい！見《み》たか！今《いま》の看板《かんばん》ッ！
ミッキーがいなきゃあディズニーじゃあねえッ！

おいッ！ この荷台《にだい》
何《なに》かいるぞ！

まさか敵《てき》かッ!

「ダイバー・ダウン」ッ！
つかんだ
アナスイ……いるのは一ぴきだけじゃないぞ

ドドドド
いや…こいつはつかんだ…
だが なんだこいつは……?
ぐえっ あ
…あ
BOOK
ピノキオ

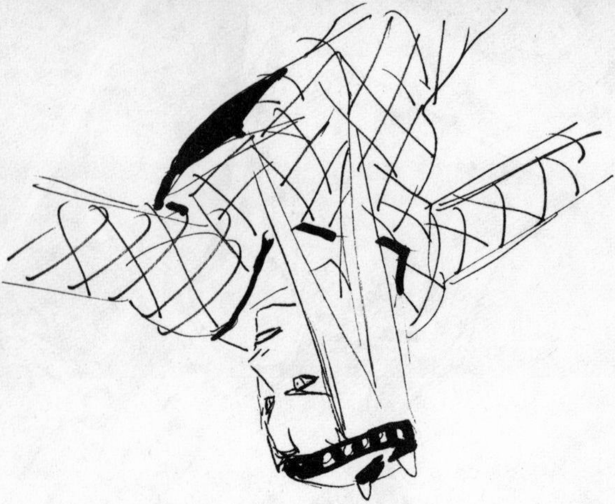

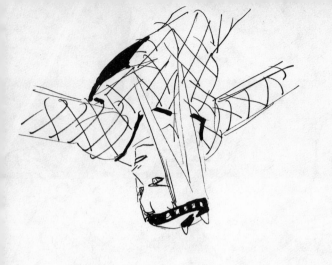

自由人の狂想曲《ボヘミアン・ラプソディー》
その②
探《さが》せッ！
ウェザー・リポート
本体《ほんたい》がどっかにいるッ！
どうやらおまえが徐倫《ジョリーン》の移動《いどう》を感《かん》じるように「緑色《みどりいろ》の赤《あか》んぼう」を手《て》に入《い》れた『神父《しんぷ》』も
逆《ぎゃく》におまえの接近《せっきん》を感《かん》じて敵《てき》を送《おく》って来《き》てるってことらしいなぁあああ
うげっ
おがぁああ〜〜〜

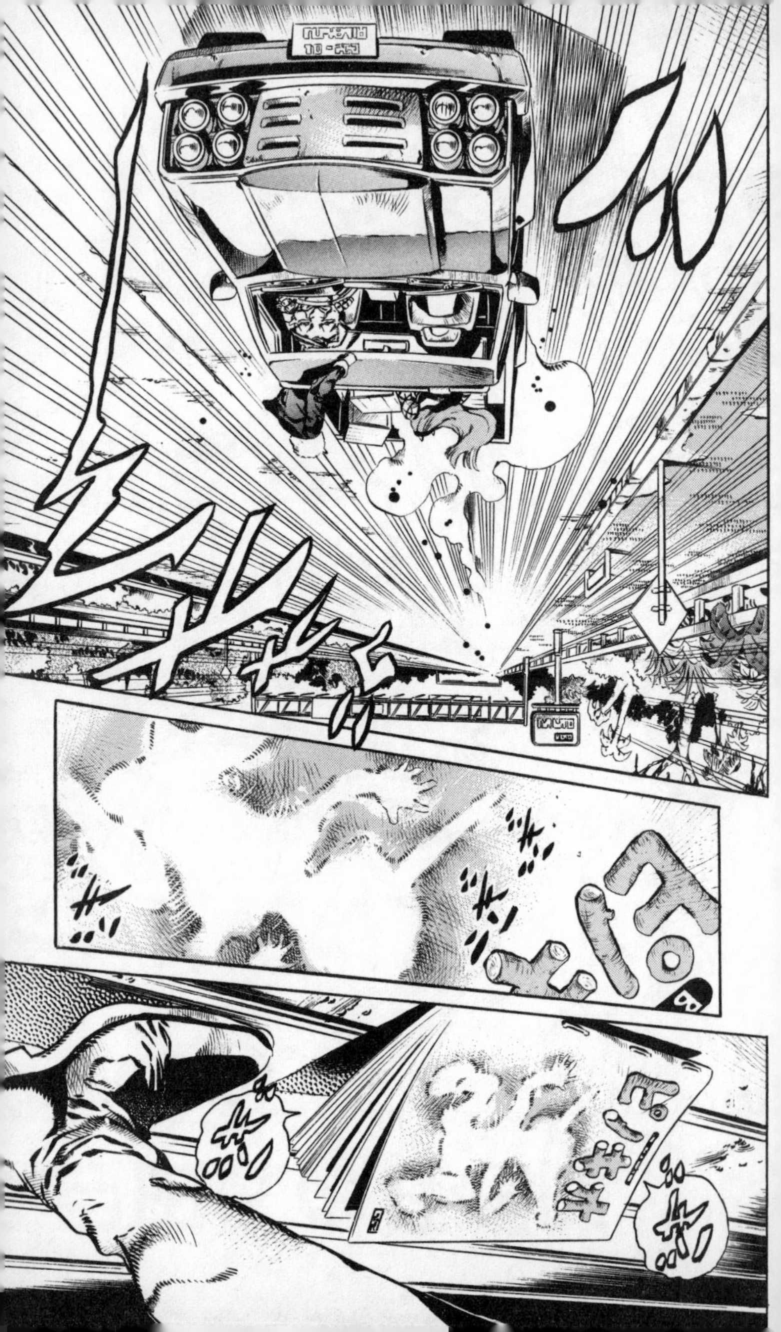

このじいさんがスタンド使《つか》いの可能性《かのうせい》はゼロだ
まわりくどい方法《ほうほう》で姿《すがた》を見《み》せてオレたちに接近《せっきん》する意味《いみ》がない
隠《かく》れてればいいんだからな
なに者《もの》だ!?きさま――ッ
ぼくのこと殴《なぐ》らない方《ほう》がいい
世界中《せかいじゅう》の子供《こども》が悲《かな》しむ
や…やめた方《ほう》がいい

なんだあ
ああ〜〜〜
ぐげけっ
く…
苦《くる》しい…
そーゆーのも
…お…お願《ねが》い
やめて…
ヤバイって
こいつ…
しゃべりやがったぞ
このトラックに
もう「一体《たい》」いたな?
え?
い…
いや…
ぼく
ひとり…
おまえら
二人組《ふたりぐみ》か?

違《ちが》う
や…
ヤバイ！
OH《オー》！OH《オー》！
待《ま》って
ご…ごめん！
ワザとやった
わけじゃあ
あヤバイ
どうしよう
!?
ぼくウソを
つくと鼻《はな》が
伸《の》びるわけで
いや ぼく
今《いま》ウソを
つきました
……
て…
てめえ…
あ…だから
自動的《じどうてき》に
鼻《はな》が伸《の》びた
だけで…
いや！
その！
生理的《せいりてき》な
反応《はんのう》で…
でも完全《かんぜん》に
ウソって
わけでも
なくて
つまり ぼくは
仲間《なかま》は
いないんだけど
別《べつ》にひとりって
わけでも
なくて…
はい！
もう
「一体《たい》」って
ミッキーの
ことかな？
彼《かれ》は もう
このトラックからおりて
どっかいっちゃった
みたいだけど…

ほら見《み》て見て
ウソじゃあないでしょ！鼻《はな》が戻《もど》って来《き》た!!
なんだ こいつは!? ミッキーって なんだ その名前《なまえ》は!?
どこのミッキーだ！
そいつが本体《ほんたい》の名前《なまえ》かッ!?
だからあんたこそ話《はなし》がみえないいな
ミッキーっていったらミッキーじゃん
それに何《なに》よ本体《ほんたい》って!? そんなヤツぼくは知《し》らない
げ
だ…だから乱暴《らんぼう》はやめてってば…
誰《だれ》だっ!! てめーは!?
自分《じぶん》で言《い》うのもなんだけど…
ぼく自分《じぶん》がいいヤツだと思《おも》う とくに子供《こども》の敵《てき》なわけがない… 昔《むかし》あんたの友達《ともだち》でもあったはずだ

そ…そうだ
友達《ともだち》っていやぁ
ミッキーはもういないけど
あの「七人《にん》」はどっかに
隠《かく》れていると思《おも》う
さっき
七人《にん》のうち
三人《にん》を
見《み》かけたんだ
…
ほら
食《く》いかけの
リンゴが
落《お》ちてる
ぬっ
トコトコ
トコ
トコ

おい
ウェザー
なんなんだ!!
こいつはよォ——ッ
トコ
トコ
……
……
そのリンゴは毒《どく》リンゴじゃあないぜ
食《く》っても大丈夫《だいじょうぶ》
でも白雪姫《しらゆきひめ》が食《た》べたのは毒《どく》リンゴだ
実際《じっさい》は食《く》ったわけ
かじってカケラをノドにつまらせてるだけだけどな

でも知《し》らねーバアさんからよォーリンゴもらって食《く》うか？ フッー
バレンタインのチョコだって用心《ようじん》してんだぜオレたち
その不注意《ふちゅうい》のとこがまた守《まも》ってやりたくなる女《おんな》の子《こ》
ドザァ
このトラックに何体《なんたい》乗《の》ってるんだッ！スゲェ乗《の》ってるぞウェザ————ッ
気《き》をつけろッ！

あんたは誰《だれ》が好《す》き?
子供《こども》のとき何《なに》が好《す》きだった?
好《す》きなキャラクターは何《なに》?
それぼくじゃあない?
オレはターミネーターT-2000型《がた》のファンだな
このトラックにゃあいねーけど
オレとこいつはチューバッカ
それとエレファントマン
でもなんつってもやっぱりオレは白雪姫《しらゆきひめ》がサイコーだぁああああ──っ
ハイホー
世間《せけん》のヤツらはよォ──オレたちのこと眠《ねむ》ってる女《おんな》の子《こ》のパンツの中《なか》に入《はい》ったりして遊《あそ》んでるなんてよォ──
事実無根《じじつむこん》ッ!
いろいろ黒《くろ》い噂《うわさ》立《た》ててるがチクショオ!
プラトニックな関係《かんけい》だよなぁ──
オー
オー
オー

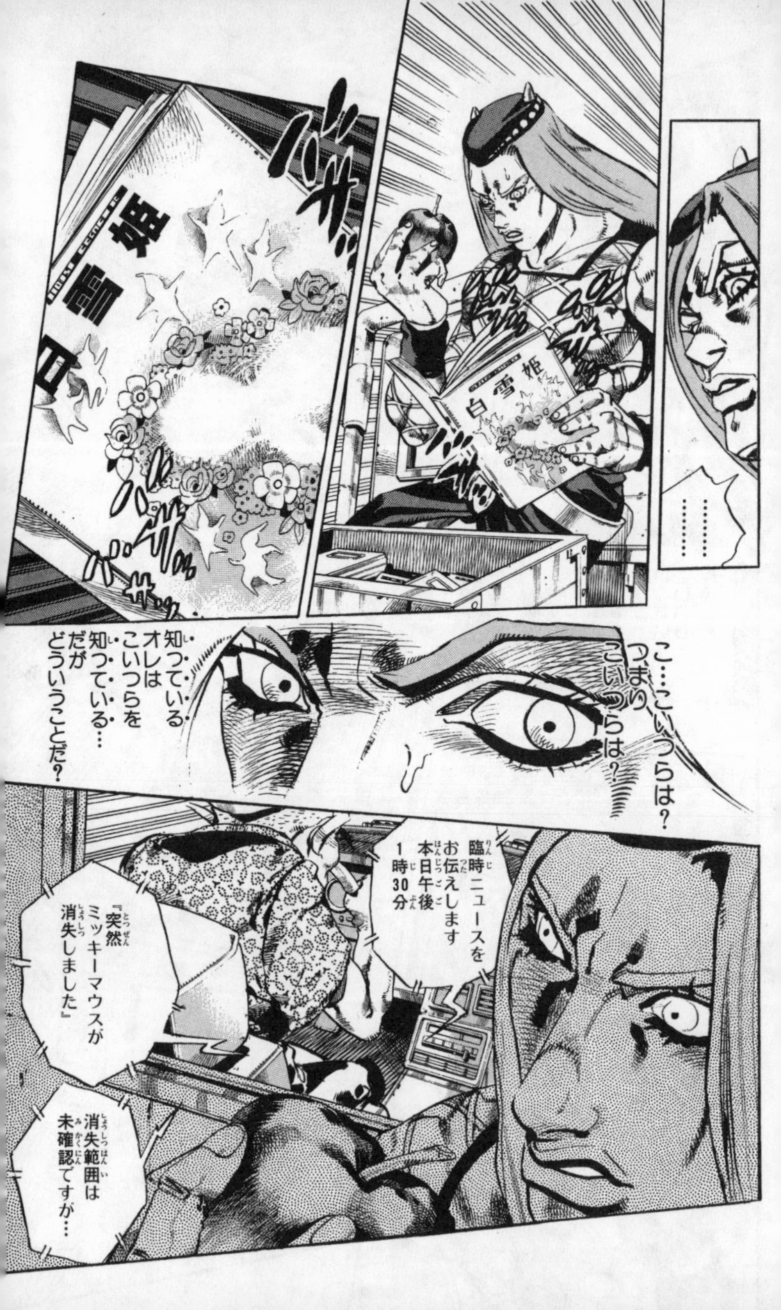
……
白雪姫
白雪姫
こ…こいつらは？
つまりこいつらは？
知《い》っている
オレはこいつらを知《い》っている…
だがどういうことだ？
臨時《りんじ》ニュースをお伝《つた》えします
本日《ほんじつ》午後《ごご》1時《じ》30分《ふん》
『突然《とつぜん》ミッキーマウスが消失《しょうしつ》しました』
消失範囲《しょうしつはんい》は未確認《みかくにん》ですが…

全世界《ぜんせかい》の模様《もよう》
全《すべ》て
消《き》え失《う》せました
くり返《かえ》します
ミッキーマウスが
いなくなりました！
ペイント塗料《とりょう》や
印刷物《いんさつぶつ》の化学変化《かがくへんか》等《など》も
含《ふく》め
原因《げんいん》と状況《じょうきょう》は現在《げんざい》調査中《ちょうさちゅう》
です
E.T.
ADVENT
それと
白雪姫《しらゆきひめ》とピノキオにも
同様《どうよう》のことが
起《お》こってるとの報告《ほうこく》も
あり…当局《とうきょく》は
くれぐれもパニックに
用心《ようじん》をと……
おい ウェザー！
こいつらは つまり
そういうことなのかッ！
『出《で》て来《き》た』って
ことなのかッ！
だから
いったい
こいつら
何《なん》のため……
モグ
モグ
…………
白雪姫

……
?
モグモグ
ねぇあんたは誰《だれ》のファン?
悪《わる》いがオレは君《きみ》たちを知《し》らない……向《む》こうへ行《い》け…蹴《け》り殺《ころ》すぞ
ぼくのファン?
オイ！ウェザーッ
なにオレからとってるんだッ！そんなもん食《く》ってんじゃあねーーーッ本《ほん》もだッ！

……
白雪姫
あんたが
食《く》えるって
言《い》ったんじゃあ
ないか…
あんたが
自分《じぶん》で
渡《わた》したくせに
なぁ
本《ほん》も
あんたから
彼《かれ》に読《よ》んで
みろって
言《い》ったんだ
しかも
毒《どく》じゃあ
ないって
姫《ひめ》はノドに
つまらせてる
だけだ
なに言《い》ってんだ
てめーら
どこだ
アナスイ!?
……

……
おいアナスイどこだ!?
おいじいさん車《くるま》を止《と》めろッ!
なんだ
どうした…?
ウェザー?
なんだ なんだ

うおおお
おおっ
こりゃ
ヤバイぜッ
!!
…!!
ぐえっ
ひでえ！
たいへんだ
──ッ
みんなーっ
どうした？
なんなんだ
ウェザー
？
止《と》めろ
じいさんッ
車《くるま》を止《と》めるんだ！

ウェザー
こ…これは——ッ!?
Orlando 43
バアアア
君《きみ》が「分離《ぶんり》」したんだねぇ…
君《きみ》は誰《だれ》のファン？
ぼくのこと好《す》きだったんでしょ？
昔《むかし》……やっぱり……

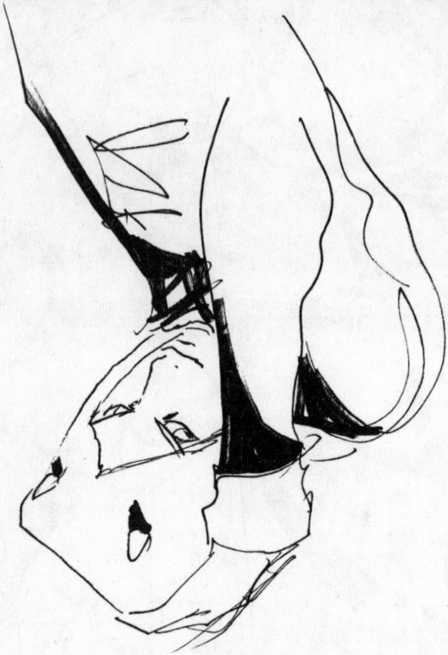

自由人の狂想曲《ボヘミアン・ラプソディー》 その③
なんで落《お》ちてるんだ!? ……… あいつの顔《かお》…… あの「顔《かお》」はッ?
このトラックの下《した》に落《お》ちてるヤツは……!! 助《たす》けるべきか? なんで落《お》ちてるんだ?
「ダイバー・ダウン」

自由人の《ボヘミアン・》狂想曲《ラプソディー》 その③

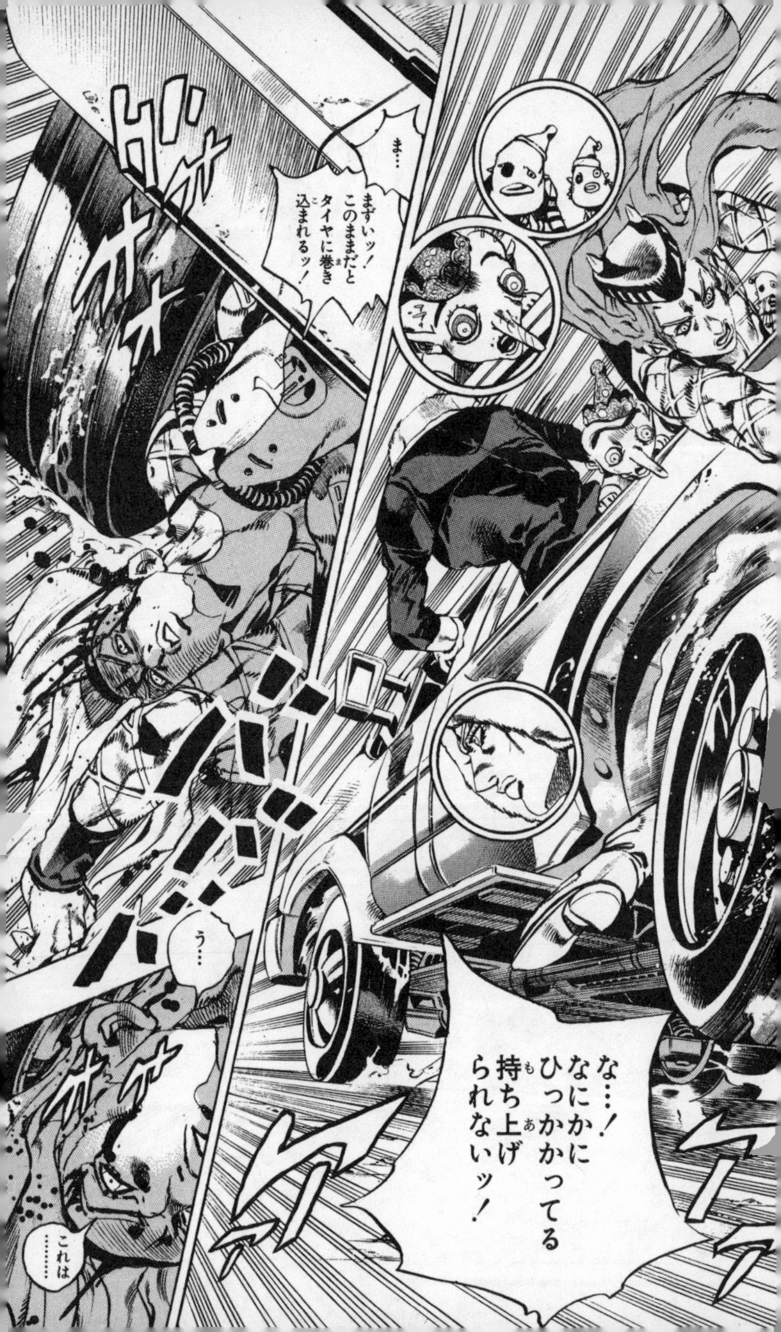
ドオオオ
ま…
まずいッ！このままだとタイヤに巻《ま》き込《こ》まれるッ！
う…
な…！なにかにひっかかってる持《も》ち上《あ》げられないいッ！
これは………

ウェザー　止《と》めさせろォ
――ッ
車《くるま》を止《と》めさせ……
……
……

ま……
まさか…
なんだと 間《ま》に合《あ》わねぇえ――ッ!!

「ウェザー・リポート」
エアバッグを作《つく》った
大丈夫《だいじょうぶ》か？
いったい おまえ なぜ急《きゅう》に 車《くるま》から 落《お》ちたのだ？
これは どういう ことなんだ？
ウェザー……
ぐがっ
がっ
ウェザー おまえ
オレのことが 見《み》えてねーのか？
そこに 倒《たお》れてんのは オレなのかッ！
……
オレが勝手《かって》に 動《うご》いて トラックの下《した》に落《お》ちたってことなのか？
運転《うんてん》してた じいさんも含《ふく》め 体《からだ》と心《こころ》が分離《ぶんり》してるって 考《かんが》えていいことなのか!?

みんな無事《ぶじ》かァ
姫《ひめ》は無事《ぶじ》か？
向《む》こうのバーガーキングの方《ほう》へ飛《と》ばされていった
助《たす》けろ
オー
姫《ひめ》はどうした？
オー
見《み》ろ！
飛《と》んでるっていやあ あいつら知《し》ってるか？
行《い》っちまうぜ あそこだ！
あっ 知《し》ってる！
と…いっても知《し》り合《あ》いじゃあねーけど
日本《にほん》のヤツだ！ クールなデザインだな カッコつけやがって
答《こた》えろッ！
体《からだ》を分離《ぶんり》させることが てめーらの能力《のうりょく》なんだなッ！ しかも何体《なんたい》いるんだ てめーらは！
し……知《し》らないよ
ほ…ほんとに…ぼくは何《なに》も知《し》らないんだ
ぼくはただのピノキオ

でも別《べつ》にいいじゃあないか……
君《きみ》もファンタジー・ヒーローの仲間《なかま》になれるんだよ
すばらしい世界《せかい》だ……
ぼくのこと好《す》きだったんでしょ？君《きみ》の魂《たましい》が　これを望《のぞ》んでいるから分離《ぶんり》しているんだ
誰《だれ》もが行《い》きたいと思《おも》う世界《せかい》…
「ボヘミアン・ラプソディー」自由人《じゆうじん》の狂想曲《きょうそうきょく》なんだよ

やかましいぞ……答《こた》えになってねえんなら
こうするまでだ
な
なにやってんだ？
おお お
お……
おまえ なんてことをするんだぁあああ あああああああ
ムクリ
！
……

ぎいいいやぁ
ああアアアア
アア―――ッ
世界中《せかいじゅう》の子供《こども》は
ぼくの
味方《みかた》
なんだぞォ、
―――ッ
ドグシャア
やった
戻《もど》ったぞッ！
ウェザー
こびとは
どこだ？
……
こびと
どもは
どうした⁉

オレにはどういうことなのか…
見当《けんとう》もつかない
今《いま》のはスタンド攻撃《こうげき》だ
オレは分離《ぶんり》していた!! オレの精神《せいしん》の方《ほう》は荷台《にだい》にいた!
いいな
なぜおまえが攻撃《こうげき》されなかったのか… それはわからんが… おまえがピノキオも白雪姫《しらゆきひめ》も知《し》らなかったことに関係《かんけい》あるらしい
おまえは刑務所《けいむしょ》以前《いぜん》の記憶《きおく》はないからな…
こびとどもを探《さが》してたたくぜ
いや…… そうじゃないアナスイ
たたくのは本体《ほんたい》だ
今《いま》のが攻撃《こうげき》というのなら…… オレはこびとどもやピノキオとかいうヤツのことは良《よ》く知《し》らないが
そのピノキオはスタンドではないような気《き》がする
『本体《ほんたい》と能力《のうりょく》』が別《べつ》にいて そいつが今《いま》のピノキオどもを産《う》み出《だ》したのだ

それほど遠《とお》くないところに敵《てき》と その能力《のうりょく》の存在《そんざい》を感《かん》じる
なぜかはわからないが徐倫《ジョリーン》の移動《いどう》を感《かん》じるように敵《てき》だってことがわかる
ピノキオはただのきっかけだ……敵《てき》はダメージさえ負《お》っていない！
なんなんだ？おまえらは？
知《し》らん
とにかく徐倫《ジョリーン》は「北《きた》」だ……「北《きた》」へ進《すす》むしかない
バスに乗《の》ろう
……
う
うう
待《ま》って
ま…待《ま》って

おい じいさん… 口《くち》がまっ赤《か》だぞ ケガしたのか?
だが… 事故《じこ》ったのは あんただからな オレたちは行《い》く じゃあな
う… う…う
待《ま》って
よく 聞《き》こえないよォ〜〜〜
わし… 耳《みみ》に いっぱい 毛《け》がはえてる から
もっと 近《ちか》づいて ……
少《すこ》しガマン しろといったんだ… すぐヤジ馬《うま》が来《き》て 警察《けいさつ》も救急車《きゅうきゅうしゃ》も 呼《よ》ぶだろう……
指《ゆび》もケガ したのか? 爪《つめ》がわれてるぞ
ちがうよ――っ 助《たす》けてくれた あんたを
しっかり だきしめて 感謝《かんしゃ》する ためだよォ――

……
ズボンのシリがやぶけてなにか出《で》てるぞ…
これはホコリ取《と》りだよ——っ
助《たす》けてくれたあんたのズボンについたホコリをパッパッとはらってあげるよ——っ
おい大丈夫《だいじょうぶ》か？口《くち》が耳《みみ》まで裂《さ》けてるぞッ
そうさッ！おまえを食《た》べるためにさあぁ——ッ
赤《あか》ずきん！
ギャアアッ

ズロロ
ズズロロロ
ズロロ
ブギャ
「ダイバー・ダウン」!!

なにィ——
ダ…「ダイバー・ダウン」が出《で》ないッ！
こ…これはオレはッ！
まさか「分離《ぶんり》」が……!?

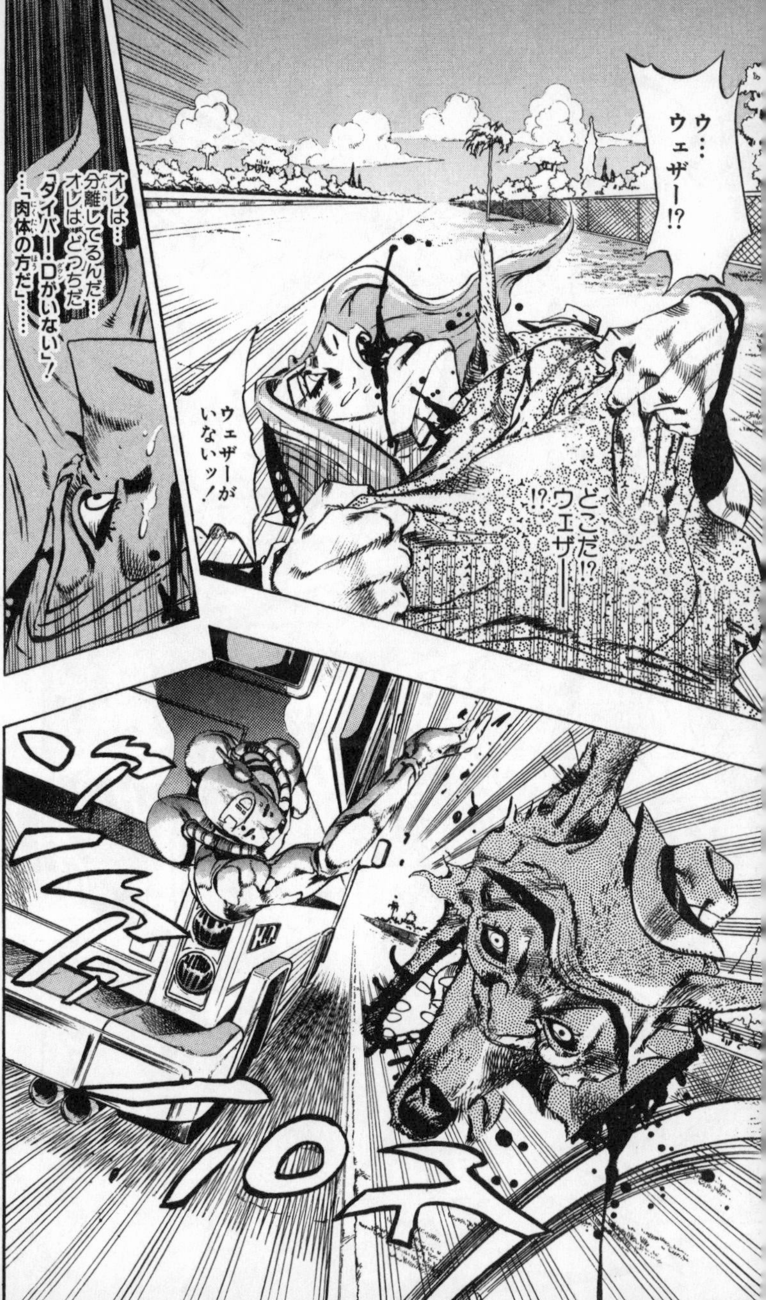
ウ…
ウェザー!?
どこだ!?
ウェザーー!?
ウェザーがいないッ!
オレは…
分離《ぶんり》してるんだ…
オレはどっちだ
「ダイバー・D《ダウン》がいない」!
…「肉体《にくたい》の方《ほう》だ」……

お…おい見《み》ろウェザー!!
聞《き》こえねーのかッ! あれは オレだッ! オレがあそこにいるッ!
お…置《お》いて来《き》ちまってる!!
ウェザー!! 聞《き》こえねーのか!?
知《し》らねー間《あいだ》にオレはバスに乗《の》っていた……!! 分離《ぶんり》したことに気《き》づかず勝手《かって》に動《うご》いている!
このスタンドの目的《もくてき》は!? いったいどうしようというのだ?
スタンド名《めい》ーボヘミアン・ラプソディー

気《き》をつけろッ！ そこのヤツ！ 走《はし》り回《まわ》ってんじゃあねェッ！
握手《あくしゅ》するのはこのオレだッ！
スパイダーマンだッ！ オレがみつけたスパイダーマンだ!!
自由人の狂想曲《ボヘミアン・ラプソディー》 その④
スカ
わあ ああ
じゃまだッ！ どけ――ッ！

くそっツ！どこだ⁉なんでじっとしていないんだ⁉
オレの『肉体《にくたい》』はッ⁉こんな街《まち》を走《はし》り回《まわ》りやがって！
オレは自分《じぶん》を追《お》うぞッ！ウェザーッ！
おまえは「敵《てき》の本体《ほんたい》」を探《さが》せッ！

自由人の《ボヘミアン・》狂想曲《ラプソディー》
その④
敵《てき》の能力《のうりょく》に冒《おか》されないでこのオレを見えてないのはウェザー…おまえだけだ
これが敵《てき》の目的《もくてき》だ…スタンドから離《はな》れた無防備《むぼうび》なオレを！まず暗殺《あんさつ》する気《き》だ！「肉体《にくたい》」だ！オレの「肉体《にくたい》」を守《まも》らなければッ！

アナスイ どこだ？
そこに いないのか？
おかしい……「不可解《ふかかい》」だ
敵《てき》は今《いま》 スタンドを使《つか》っている……
オレは その『存在《そんざい》』を感《かん》じる……
だが「敵本体《てきほんたい》」はこの街《まち》に いない……
いや… むしろ この街《まち》から どんどん離《はな》れていっている のを感《かん》じる……
アナスイを攻撃《こうげき》するのなら 近《ちか》づいてくるはず どういうことだ!? オレは どうやって このスタンドの「本体《ほんたい》」を見《み》つければいいのだ？
ドドドドドド

よくも ぬけぬけと 戻《もど》って来《こ》られたな きさまッ！
人《ひと》なめてんのかッ！
そこにいろよッ！ 今《いま》警察《けいさつ》呼《よ》んでやるッ！
ふざけやがって！
バタムーッ
………
もしもし警察《けいさつ》ですか？
……

おい 待《ま》てッ！
ひょっとして まさか それ オレのことか？
わたしの店《みせ》から離《はな》れろォ――ッ
どこだ？・・・オレは⁉
どっちに行《い》った⁉
おちつけって！
オレが何《なに》かしたんならあやまる
これでどうだ？
金《かね》ならある！
急《いそ》いでるんだ
あんたと話《はなし》がしたい
たりるかァ――
店《みせ》のテーブルを吹《ふ》っ飛《と》ばしやがってッ
女房《にょうぼう》もいなくて ひとりでやっているんだッ！
大切《たいせつ》なチョコのショーケースが割《わ》れて
今日《きょう》は商売《しょうばい》にならないッ！
!
なに オレがこの店《みせ》に入《はい》ったのか？
金《かね》がたりないなら もっと出《だ》すよ
弁償《べんしょう》するよ
だから その警察《けいさつ》は切《き》ってくれ

ヴィィ
バサ
ダダ
切《き》れって！
急《いそ》いでるんだ
ほら…やるよ
パラ
パラ
パラ
それで
どっち行《い》った？
教《おし》えてくれよ
？
店《みせ》の裏口《うらぐち》のほうか？
どこ行《い》った？
……
あー
じゃなくて
……
えと
……
くそ
そうだ
弟《おとうと》なんだよ!!
双子《ふたご》の弟《おとうと》
どうか
しましたか
？
何《なに》か
トラブル
でも？

こちら第《だい》6班《はん》
グリーン・ドルフィンの脱獄囚《だつごくしゅう》に似《に》た人物《じんぶつ》を目撃《もくげき》したとの通報《つうほう》により付近《ふきん》を調《しら》べている
今《いま》チョコレート屋《や》の前《まえ》だ
了解《りょうかい》
すみませんがこちらを向《む》いて答《こた》えてもらえますか？

ザッ
バン
オ…オレだ あれはッ! まだ このチョコレート屋《や》の中《なか》に
いるんじゃあ ねーかッ!
裏口《うらぐち》だッ! オレは 警察《けいさつ》に追《お》われてたから 逃《に》げ回《まわ》っていたのかッ!
ドドドドド

616
こちらを向《む》きなさいッ！
わたしに顔《かお》を見《み》せて質問《しつもん》に答《こた》えてください！
なんでもないっスよ！
チョコレートを床《ゆか》にこぼしただけでッ！もう解決《かいけつ》しました！
……
……

通《とお》してもらうぜオヤジ！
裏口《うらぐち》行《い》ったんだな？
ガシャン
「ダイバー・ダウン」
モゴ
モゴ
チョコレートを顔面《がんめん》の中《なか》に埋《う》め込《こ》んだ

世界中《せかいじゅう》を戦慄《せんりつ》に
陥《おとしい》れている不可解《ふかかい》な
「ファンタジー・ヒーロー」
事件《じけん》の続報《ぞくほう》です
本日現地時間《ほんじつげんちじかん》
午後《ごご》11時《じ》日本《にほん》の
傑作劇画《けっさくげきが》ヒーロー
ケンシロウがラオウと
呼《よ》ばれる悪役《あくやく》ヒーローを
東京西新宿《とうきょうにししんじゅく》で倒《たお》しました
シュン
おいどこだ？
出《で》て来《こ》いってッ！
西新宿《にししんじゅく》に突然出現《とつぜんしゅつげん》した
ラオウは　これまた現《あらわ》れた
他《ほか》のキャラクターを数十人《すうじゅうにん》
殺傷《さっしょう》したあとケンシロウに
よって倒《たお》されました
TOKYO
これは原作《げんさく》ストーリー
通《どお》りの出来事《できごと》で
あると目撃者《もくげきしゃ》は
証言《しょうげん》しておりますが
あまりの破壊《はかい》と
混乱《こんらん》のため状況《じょうきょう》の
把握《はあく》が難航《なんこう》
しており…

ガサ
ゴソ……
オレだよ！おまえはオレが守《まも》るッ！

……
チク
タク
チク
タク
……
おまえか?……
そこか……
そこの時計《とけい》の中《なか》か?
誰《だれ》だ?
オレの肉体《にくたい》じゃあない
中《なか》にいるのは
違《ちが》うヤツだ
だが…なんで そんな狭《せま》い
時計《とけい》の中《なか》に隠《かく》れる
……?

よく……
チッ
タク
も……
チク
よくも……
タク
……やって・く・れ・た・な……

メェエエエエエ
トコ
トコ
トコ
トコ
トコ
メェエエエエエ〜
メェエエエ
エエエエエエ
トコ
トコ
トコ
トコ

パカ
よくも
ぼくの兄《にい》さんたちを
食《く》い殺《ころ》してくれたなぁあ
ああああああああ
ブルブル
グルブル
メェエエエ
エエエエ〜〜
なんだ・・・
こいつは
!?
メェエエエエ
メェエエ
メェエエ
ドロ
ドロ
メェエエエエ
メェエエ
ドロ
メェエ
ドロドロドロ

こいつはオレが顔《かお》を変《か》えたチョコか?
おめーらはヤギなのかチョコなのか!!
オレの肉体《にくたい》はどこ行《い》ったんだ!?
メエエエ
『あいつはズル賢《がしこ》いヤツです』
『子《こ》ヤギたちをだまして家《いえ》の中《なか》に入《はい》りました』
『そしてあいつは!』
『七匹《ひき》の子《こ》ヤギたちを一匹《ぴき》一匹《ぴき》と捕《つか》まえて食《た》べ始《はじ》めたのです』
ポロ
ポロ
『唯一《ゆいいつ》助《たす》かったのは一番末《ばんすえ》っ子《こ》の子《こ》ヤギ!』
『古時計《ふるどけい》の中《なか》に隠《かく》れたからですッ!』

何《なに》読《よ》んでんだ？
おめーらは何《なん》のキャラクターだ？
やったぞ！
姫《ひめ》が目《め》を醒《さ》ました！
白雪姫《しらゆきひめ》が目《め》を醒《さ》ましたぞ！
ストーリー通《どお》りだ!!
ストーリー通《どお》りだ！
ストーリー通《どお》りだぁあ!!
『怒《おこ》ったのは留守《るす》にしてたヤギたちのお母《かあ》さんだあああああ――』
『お母《かあ》さんはハサミをもって狼《おおかみ》を探《さが》し出《だ》すと狼《おおかみ》のヤツの腹《はら》ワタひきずり出《だ》して』

『かわりに
石《いし》をつめて
池《いけ》に沈《しず》めました』
七ひきのヤギ
あんた
これからかい
？
パカ
パカ
わしは
もう肉体《にくたい》なんか
必要《ひつよう》ないぞォオオ
パカ
パカ
売《う》れない独身《どくしん》の
チョコ屋《や》のオヤジ
なんてよォオオオ
本当《ほんとう》に
あこがれて
たんだぁああ
パカ
白雪姫《しらゆきひめ》に
さぁああああ
ドド

ピシッ
メリッ！
ハサミ持《も》ってもどって来《く》るぞォオオオオオ〜〜〜ぼくたちの！お母《かあ》さんがぁああああああ
お母《かあ》さんが……
て……
敵《てき》スタンドが、肉体《にくたい》を分離《ぶんり》した……
本当《ほんとう》の目的《もくてき》は！
オレの肉体《にくたい》を襲《おそ》うためではない……オレはひきずり込まれていたッ！すでに！「ストーリー」の中《なか》に

自由人の狂想曲《ボヘミアン・ラプソディー》 その⑤
すみません サンレミの病院《びょういん》は こちらで良《よ》いので しょうか?
他《ほか》で 聞《き》いてくれ
おや
あなた ……
ちょっと待《ま》って この わたしのこと 知《し》ってますね?
そうでしょう?
わ・た・し ですよ
……
いや……
役《やく》に立《た》てなくて 悪《わる》いが
オレは この街《まち》の人間《にんげん》 じゃあない
そうじゃあ なくって……
わたしのこと 好《す》きなんで しょう?
わたしを見《み》て 感動《かんどう》したこと あるって顔《かお》に かいてある
わたしの 名前《なまえ》は ゴッホです

『ゴッホの自画像《じがぞう》』です
きのうカミソリで耳《みみ》を切《き》り落《おと》しました
自由人《ボヘミアン》の狂想曲《ラプソディー》
その⑤

ぞ…
ファンタジーヒーロー事件《じけん》の続報《ぞくほう》です
現地《げんち》時間《じかん》午後《ごご》3時《じ》イタリア・フィレンツェのウフィツィ美術館《びじゅつかん》から名画《めいが》の中《なか》でも最高峰《さいこうほう》の名画《めいが》！
$320
$698'00
$498'00
ボッテチェルリ作《さく》「ヴィーナスの誕生《たんじょう》」から突然《とつぜん》ヴィーナスが消《き》え失《う》せました

そして
なんと現在《げんざい》
ドド
ドド
ここ！
シニョール広場《ひろば》を
彼女《かのじょ》が歩《ある》いて
いますッ！
美《うつく》しいッ！
美《うつく》しすぎるッ
！
ドド
ヴィーナスが　わたしたちの
目《め》の前《まえ》を歩《ある》いて行《い》くのです
女性《じょせい》の裸体《らたい》となりますが
ボカシはいっさい入《い》れず
放映《ほうえい》されています
この美《うつく》しすぎる
映像《えいぞう》は録画《ろくが》できない
からです!!
このLIVE《ライブ》映像《えいぞう》
のみで録画《ろくが》しようと
しても不可能《ふかのう》なのです！
まったく
記録《きろく》できない
のです!!
ドド
数時間前《すうじかんまえ》に
アメリカのフロリダで
始《はじ》まったとされる
一連《いちれん》の現象《げんしょう》は
テーマ・パークや
アニメ作品《さくひん》にとどまらず
あらゆる芸術作品《げいじゅつさくひん》に対《たい》して
影響《えいきょう》が広《ひろ》まっている模様《もよう》です！
ドドド

事態《じたい》は ある意味《いみ》 どんな戦争《せんそう》よりも 深刻《しんこく》ですッ!
ただの 業界《ぎょうかい》や 著作者《ちょさくしゃ》だけの 問題《もんだい》ではありません!
全人類《ぜんじんるい》の「遺産《いさん》」が!…… わたしたちの「心《こころ》の宝《たから》」が! 失《な》くなっていくということ なのですッ!
また キャラクターの中《なか》には 市民《しみん》を殺傷《さっしょう》する 者《もの》もいるらしく その被害《ひがい》と犠牲者《ぎせいしゃ》の 状況《じょうきょう》は把握《はあく》 しきれていません
この「敵《てき》」 本体《ほんたい》はどこに いるんだッ!?

感動《かんどう》しましたね
わたしのこと？
どこかにいるこの「敵《てき》」はアナスイやオレだけを狙《ねら》って攻撃《こうげき》しているのではないッ！
「神父《しんぷ》」を守《まも》ればそれでいいという能力《のうりょく》だッ！世界中《せかいじゅう》を巻《ま》き込《こ》んで！その「作品《さくひん》」に込《こ》められたエネルギーを利用《りよう》しているスタンド能力《のうりょく》！
おそらく同時《どうじ》に今《いま》ッ！
オオオオオオ
「徐倫《ジョリーン》」も何《なん》らかのキャラクターの攻撃《こうげき》を受《う》けているッ！
「敵本体《てきほんたい》」!! オレは この「敵本体《てきほんたい》」を見《み》つけられるのかッ！
オオオ
ドドド
おい！アナスイ あんたハイウェイでさっき…
赤《あか》ずきんちゃんのオオカミを始末《しまつ》したろ？
オオカミは始末《しまつ》された…！
ストーリー通《どお》りだ！
ストーリー通《どお》りだ！
ドドドド

悪役《あくやく》はオオカミだッ!
いつだってオオカミだァ――!!
ドドドド
オレの体《からだ》はッ!!
お母《かあ》さんが…来《く》るらしい
お母《かあ》さんヤギはハサミを持《も》って狼《おおかみ》を追跡《ついせき》するとオオオ
昼寝《ひるね》していた狼《おおかみ》のお腹《なか》をチョキンチョキン
七ひきのヤギ

内臓《ないぞう》のかわりに「石《いし》」をつめて糸《いと》で上手《じょうず》に縫《ぬ》いましたぁあああああ
やめろッ!!……てめえッッ
そんな本《ほん》読《よ》むんじゃねェエエエエエエエエエ
七ひきのヤギ
メェエエエエエエエエエエエエエエエエエエ〜〜〜ッ

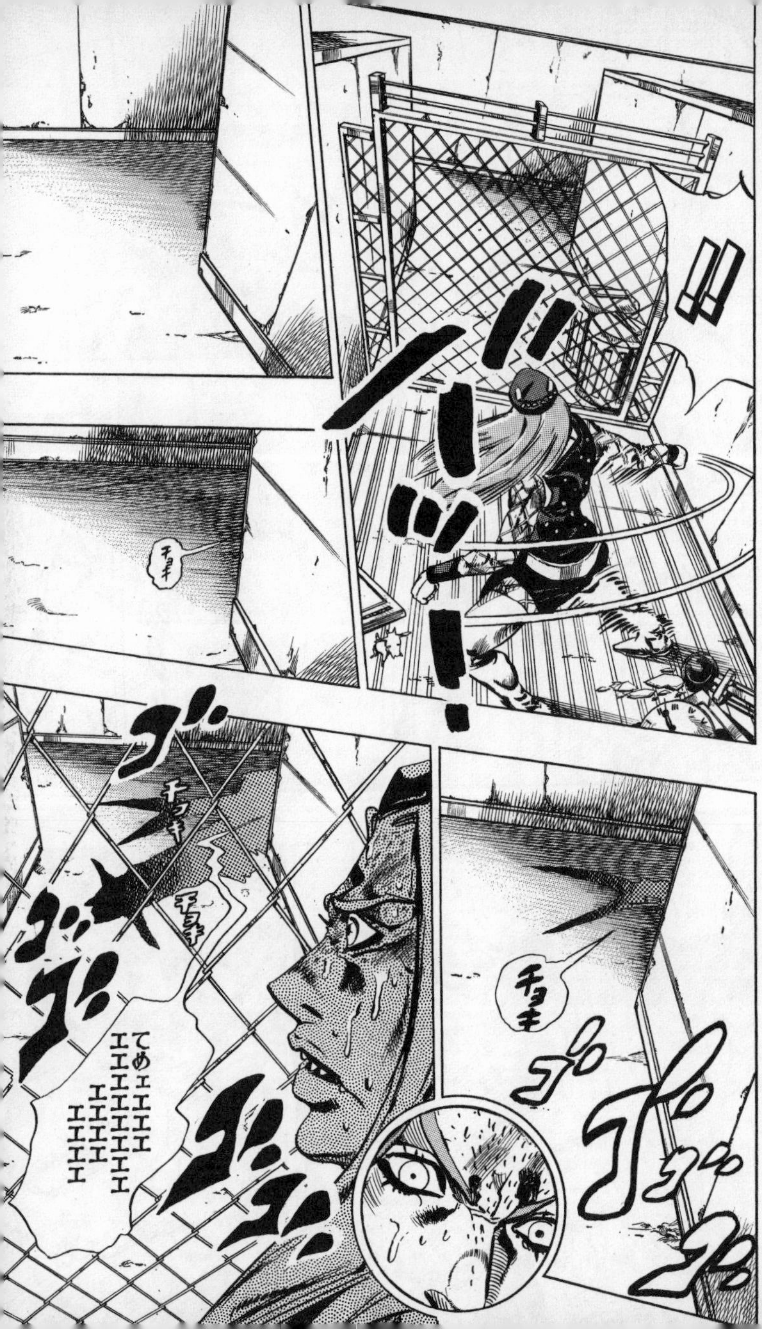
チョキ
チョキ
チョキ
チョキ
てめェエエエエエエエエエエエエエエエエエエエエ

シィーーン
来《く》んのかッ! このヤロウッ!
く…くそっ なめやがって
…肉体《にくたい》と精神《せいしん》を分離《ぶんり》したら 次《つぎ》は「ストーリー通《どお》り」だと?
オ…オレの体《からだ》に毛《け》が…… フザけやがって…
ママー
ママー
ここだよ〜 オーイ
な…!?
ここだよ ママあ〜
ママー
お兄《にい》ちゃんたちだ!
まだ生《い》きてるぞ! 声《こえ》が聞《き》こえる
オオーイ
オオ〜〜〜イ

なんだとおおおおお
ママア～～～
助《たす》けてママアー――
は！
チョキン
チョギリチョギ
バッ

うおおおおおおおおおおお
メエー
ママー
スパッ

てめェエエエエエ
よくもッ！
メェ
メェ
よくも
わたしの子供《こども》たちを
ォオオオオオオオオオオ
野郎《やろう》オ
ーーーッ

のりしろ
のりしろ
のりしろ
パタッ
パタッ
……
パタッ
パタッ
パタッ パタ
パタパタ
パタッ
ググググ

ママー
ママー
本《ほん》だ！
あのヤギは！
本《ほん》から出《で》て来《き》たヤギだ！
ドドドドド
こ
こいつら・・・は・・・・・・
てめェエエエエエエエエエエエエエエエエエエ
ママー
ママー
作者《さくしゃ》が創《つく》ったストーリーをつぶすことは誰《だれ》にもできない

ヤバイぞ…
このまま
こいつらと関《かか》わり合《あ》うのは……
ストーリー
通《どお》りだと？
くそっ！
オレの腹《はら》を切《き》られた
ここは逃《に》げるべきだ……
ウェザーが…!!
ウェザーが「敵《てき》の本体《ほんたい》」を
見《み》つけ出《だ》さないと…このままオレは
追《お》いつめられてしまうかもしれない！…
ウェザーのところに戻《もど》らないと…
クルッ
ママぁあああ
お兄《にい》ちゃん達《たち》の
残《のこ》りが！
まだヤツの腹《はら》の中《なか》に
いるウゥ

「ダイバー・ダウン」！
ダイバー・ダウンがこの鉄扉《てっとびら》の内部《ないぶ》を変《か》え……
壁《かべ》と扉《とびら》を融合《ゆうごう》させたッ！もう ここは開《ひら》かねえ！

パラ
パラ
パラ
パラ
パラ
パラ
パラ
パラ
パラ
パラ
パラ
パラ
パラ
パラ
パラ
パラ

ストーリー通《どお》りにしかならない
ストーリー通《どお》りだ
ウェザーーッ早《はや》く見《み》つけてくれッ！敵本体《てきほんたい》をッ！早《はや》くッ！
だが…もしウェザーが…敵《てき》を見《み》つけられなかったらどうなる？（…そ…そんなことは考《かん》えたくねえ………）

12脱獄へ…(完)

■ジャンプ・コミックス

ジョジョの奇妙な冒険 PART 6

ストーン オーシャン

12 脱獄へ…

2002年7月9日 第1刷発行

著者 荒木飛呂彦

編集 ホーム社
東京都千代田区一ツ橋2丁目5番10号
〒101-8050
電話 東京 03(5211)2651

発行人 山路則隆

発行所 株式会社 集英社
東京都千代田区一ツ橋2丁目5番10号
〒101-8050
電話 東京 03(3230)6233(編集)
03(3230)6191(販売)
03(3230)6076(制作)
Printed in Japan

印刷所 株式会社 美松堂
中央精版印刷株式会社

ISBN4-08-873284-7 C9979